Kinderland

3.-12. Klasse   Art.-Nr. 1 315 504/do

Für meine Eltern und Schwestern

Dank an Naomi, Reinhard, Fil und die K77,
Jochen Schmidt, Barbara, das Internet, Susann Reck,
Micha und alle bei Reprodukt sowie Flix und Samira

3

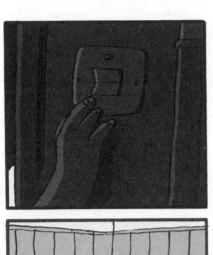

6

mawil

Kinderland

reprodukt

Manno!

Schwänzt du?

Du bist doch auch vonne TaBu oder?

Ja, aber der Bus fährt plötzlich ganz anders u weisst du wie

Habick mir schon jedacht!

Wennde Schwänzen würdest, würdste ja nich flenn!

Ich heul doch gar nich!

Bist du neu anna Schule?

Hmm

Umgezogen. Bei wem hast'n Erste?

Russisch bei der Kranz

Na da hast'n Grund zum Heuln!

Ah... Von hier aus bin ich noch nie...

Kommste noch mit zur Koofi? Erste is doch eh fast vorbei!

S Tamara Bunke

Uik Uik Uik

Nok Nok

Ja?

Verzeihungdassichzu
spätkommeaberderBu

Is gut.
Setz dich!

19

20

23

24

25

26

27

Ich melde, die Klasse 7a ist zum Unterricht bereit!

Es fehlt Peggy Kachelsky

Danke, Angela

Peggy? Immer noch?

Wie lang ist sie denn

Seit den Ferien!

Hm

Ich war bei ihr, um ihr die Hausaufgaben zu bringen, aber es ist nie jemand zu Hause!

Vielleicht ist sie ja doll krank und im Krankenhaus?

Orrr, Neee!

Haha!

Kacke!

Okeee, ich nehm...

Enrico!

31

Triller

Und Schluss für heute!

Jaaaaa!

Jippieh!

Scheisse

Voll Unfair

Alles wegen Mirco!

Warum hastn nich gefangen? Dann hätten wir uns raushauen können

Hättst ja selber Strohpuppe machen können!

Mit dir kann man ja nur verliern!

Manno, ich bin halt einfach nicht gut in Sport...

Urghl

Das will ich überhört haben!

Ich erwarte von niemandem, dass er der Beste in allen Sportarten ist! Alles, was ich will, ist **Einsatz**, verstanden?

O...Okeee

33

Einsatz!

BONK BONK

Orrr, wer hat denn schon wieder das Netz geklaut?

Is doch egal!

Sascha! Gib ma Tafelwerk!

Macht hinne!

Platte is frei!

Einsatz!

Los! Bevor die Grossen kommen!

Hat noch jemand was fürs Netz?

35

37

39

40

41

42

43

KLIRR
Hahaha

Mann, ey! Mein Laserschwert!

Wuahaha ...von wegen!

Nich so laut, ihr Hirnis! Sonst schicken die uns wieder den ABV auf den Hals!

Orrr, hier sind überall Scherben

Knirsch

müssen doch e... alle arbeit...

Wo is denn jetzt euer Versteck?

Leise!!!

KRRAK
Die klemmt schon wieder

PSS SSS?

Haste gehört? Schon um eins!

Da is die Mutti sicher wieder zu Hause...

Kommst du?

Na gut... Dann geh ich schon mal vor!

47

Und?

PLOP

Wie läufts inna Schule?

Nächste Woche is Klassenfahrt, aber ich habe keine Lu...

Hach! Gott!

Der 40er wird doch umgeleitet!

Ich habs heut erst gesehn... Bist du denn zur Schule gekommen?

Jaaa! Ich hab'n Kumpel getroffen...

Mein armer Kleiner! Ich wollt ja noch in der Schule anrufen, ob du angekommen bist

Was machen wir denn jetzt morgen?

Isch kenn ja jescht den Wesch...

Oder soll Vati dich bringen?

Dann müsstest du allerdings früher

Kann selber!

Naja...

Marlies...

Du hast doch gehört: Er geht mit'm Freund!

Na?

Was treibst du dich hier noch rum?

Unterricht geht in drei Minuten los!

Das Gleiche gilt auch für euch!

Jaaa... Sofort!

55

56

57

FRRiiiNG

Nagut...

Denkt bis nächste Woche an eure...

Was denn?

Hihi

Achsooo... Dann halt bis übernächste!

Kicher

Wir sehn uns dann Montag am Zug!

Seufz

Mirco!

Das kommt alles noch später ran

Was? Oh...

Los, ab in die Pause!

Gähn

58

61

64

65

66

So...

... Wo krieg ich denn nun'n neues Feuerzeug her?

Ich weiss nich, ich...

Soll ich mir einfach eins kaufen?

Ja?

Na haste kohle dabei?

Quanein!

Was is mit Essens- geld?

Daf müffen wir erft näfte Woffe miffringen

Na toll!

PITCH

Mach hinne, Bolzen – ick hab Durst!

Warte... ick komm

Aber mit **dir** binnick nochnich fertich

Du bleibst hier und **wehe**, du haust ab!

67

Winsel

Äh...

Orrr neee!

Hast du dich schon wieder verlaufen?

Was?

Na du flennst doch schon wieder!

Tu ich garnich!

SNIFF

Seid bereit, ihr Pioniere ...

Lasst die jungen Herzen glühn...

Seid bereit, ihr Pioniiiiiiere ...

Wie Ernst Thälmann

RATATA TAM

treu und kühn

Ich begrüsse unsere Jung- und Thälmann-Pioniere...

Für Frieden und Sozialismus, **Seid bereit!**

Immer bereit!

Amen

Ähm Immerbereit

Sowie die Freie Deutsche Jugend mit einem kräftigen "Freundschaft"!

Freundschaft!

Froindschaft

Hihi

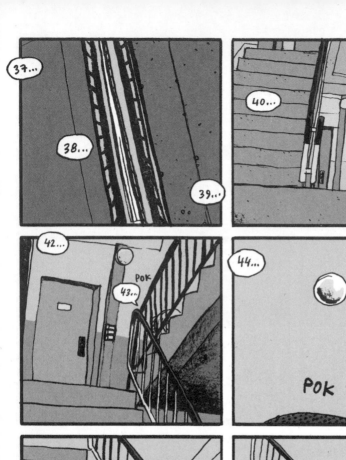

PING   PONG

Ball!

Will au mal!

Nein! Die hab **ich** ausgeborgt bekommen

PING   PONG   PING

Ich will!

EYYY!

Nu gib ihr doch auch mal!

82

KRA
KRA

Nanu? Schon **SO** früh?

Ich...
Ich will einfach nich zu spät kommen

So ists recht!

Wer zu spät kommt, den bestraft das Leben!

83

RITSCH

RATSCH

Ihr kennt diese Bilder!

kriegstreiberei ... Nazis, die wieder marschieren dürfen... Drogen ... Aids ...

Eine Überflussgesellschaft, die aus Profitgier Lebensmittel vernichtet ...

...Während gleichzeitig anderswo Hunger herrscht und...

Was is denn, Lydia?

KLICK

Schluchz

Heulst du um Peggy?

85

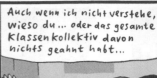

Jaaa... das is bitter, wenn man von seiner besten Freundin so enttäuscht wird...

BUHUHUHU

Auch wenn ich nicht verstehe, wieso du... oder das gesamte Klassenkollektiv davon nichts geahnt habt...

Sie... schluchz... Sie hat nur gesagt... sie fährt mit ihren Eltern ans Meer...

Buhuhu

Peggy und ihren Eltern hat es in unserem Land an nichts gefehlt... Wenn jemand dann **SO** leicht den billigen Verlockungen des Westens erliegt, dann...

... braucht man ihm auch keine Träne nachweinen

Nun gut ...

Angela, was steht noch auf der Tagesordnung?

Wir wollten noch ein Programm für den Pioniergeburtstag festlegen

Achja... sehr schön

Irgendwelche Vorschläge?

Mirco?

Na los, Mirco!

Hier soll jeder seine Fähigkeiten mit einbringen

Na was kannst du denn gut?

Tischtennis!

Haha

Hihi

Kinder... Was Feierliches!

Ihr spielt den ganzen Tag Tischtennis

Wir können ja einen Wettbewerb machen, wer der beste Pionier von der Schule ist - mit Preisverleihung und so...

Laaangweilig

Die Werkel schon wieder

Sehr gut, Angela... Schon besser!

Wie könnte denn so ein Wettbewerb aussehen?

89

91

Is das in diesem Haus zu viel Verlangt, mal eine **halbe Stunde** Mittagsruhe zu...

Kannst du nich **einmal** tun, worum man dich bittet?

Ich wollte doch nur...

Tut mir leid!

Schluchz

Herrgottsakra...

SO! Und **du** gehst jetzt auf dein Zimmer und

Was?

Neeee, der geht jetzt mal ne Runde raus!

Wie raus?

Na raus! - Hat doch schon'n Hüttenkoller, der Bengel...

In seim Alter war ich den ganzen Tag draussen

Aber...

Los, ab! Um sechs biste wieder da!

94

95

it's a lot
it's a lot

98

99

101

Gute Nacht!

Na-hacht!

Na Mensch, der Mürgo!

Zeig dich mal!

Gross biste geworden!

Ooooch! Habt ihr Erdnussflips?

Wie läufts inna Schule?

Jaa...

Muss ja, nich? Hihihi

Wir wolln ein Tischtennis-turnier machen...

Hast du nich schon Zähne geputzt?

... aber Frau Kranz lässt uns nich!

Wieso? Wart ihr nich artig?

Die Pionierleiterin - Is'ne 100%ige!

Naja... Gibt halt keine Medaillen mehr für

Wieso?

Sind die Chinesen zu gut drin. Deswegen fördernse das nich mehr...

Hamse sich fein abgesprochen

Die machen ja eh ihren eigenen Sozialismus da unten... Was die da auf dem Platz des Himmlischen Friedens angestellt haben

Das soll euch eure Frau Kranz euch mal erklären!

Schrecklich, nich?

Günther, Manner... Jetzt stiftet ihn doch nich an zu so was

Was denn?

Wozu denn anstiften? Ich würd nur gern mal hörn, wiese das den Kindern verkaufen

Könn doch unsre Kinder nich zum Wegsehen erziehn!

Hoffen wir nur, dass das bei uns nich so endet

Los, komm

Ab in die Heia

Und? Kommt Murkel morgen auch mit?

Weiss nich...

Naja, der kann ja auch mal paar Tage auf dich warten

Mutti?

Ich will nich auf Klassenfahrt

Ach, das wird schon!

Papi und ich würden gern mit dir tauschen

Guck mal, du kannst 'ne ganze Woche mit deinen Freunden und Freundinnen spielen und...

Hast du schon eine Freundin?

Hrmpf

Na, das hat ja auch noch Zeit...

schmatz

Nacht!

Vergiss nich zu beten!

KLIK

105

110

HAHAHAHA

Sach mal spinnt ihr?

Du... Du... Du hast Glück, dass ich mich nich mit Mädels prügel!

Na toll! Dafür stänkerste rum...

Und ihr... ihr...

...nervt mit euerm blöden Pingpong!

Dann hau doch ab und lass uns in Ruhe!

Wir warn nämlich zuerst hier!

Ich will gar nich an eure scheiss platte!

Weil du Schiss hast!

Was?

112

ZINNNG

Aus!

PAFF

ZANNNG

Wie wärs denn, wennde zur Abwechslung mal die Platte treffen würdest?

4:0 für Mirco!

Lass mich doch Spielen, wie ich will!

Kinder!

Wo bleibt ihr denn? Essenszeit!

Oooch

Wir sind grad voll im wichtigen Spiel!

Schwein gehabt!

Sieger nach Punkten: MIRCO!

Jaaa, los jetzt! Könnt nachher weiter spielen!

Haha

Det güldet nich!

Naja – Du warst ja auch noch nich richtig eingespielt...

Pf!

SPLO OTCH

Beah!

Neee Die is doch voll streng!

Misersky is schlimmer!

Am besten is Herr Plagwitz ... Der's wenigstens gerecht!

Hey! Wart ihr schon springen? Fetzt voll ein!

Au ja!

Kommst du?

Ich ... ähm ... muss noch meine Brille ...

116

119

Brrr...

Old Shatterhand grüsst seinen Bruder Winnetou, den Häuptling der Apachen

Auch Winnetou grüsst Old Shatterhand, seinen weissen Bruder

Seit vielen Monden fliesst das Blut unserer Krieger und Squaws...

und der Weisse Mann spricht mit gespaltener Zunge. Old Shatterhand

aber ist ein Freund unseres

Volkes und so wollen wir gemeinsam Bluts-brüderschaft schliessen

iiiik

mein Bruder Old Shatterha wird mit dem Volk der Apa

Hihi, Guck mal die Weib

Geil

Igitt!

122

124

Was?

Ramona hat gesagt, ich kann ihre Kelle geborgt haben

Aber wir sind grad mitten im Spiel

Sind wir auch!

Gibse ihm nich!

Biste ihr neuer Freund?

Geht euch'n Scheiss an!

Ausserdem bestimmt Ramona, wer mit ihrer Kelle spielt!

Aber nich mitten im Match!

Wenn ihr die haben wollt, dann... dann...

ähm...

...müsst ihr erst drum spieln!

Ganz schön grosse Klappe für'n Siebtklässler!

Oder biste mal sitzengeblieben?

Hä?

Gut. Spieln wir

Ok...

Aber Doppel! Wir gegen euch!

Was?

Von mir aus...

Ich brauch aber 'ne Kelle!

Orrr, wieso denn die Heulsuse und nich ich?

Aber wenn ihr verliert, kriegen wir die wieder!

Ihr schafft das!

Aber ich...

Pionier-ehrenwort!

Ph!

Habt ihr'n Ball?

128

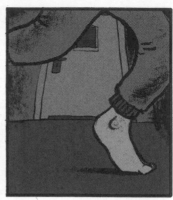

138

141

142

143

145

♪ Piepel a Piepelsso Weischudibi ♪

Okeeee

Jetze!

Mirco!

27, 28, 29, 30, 31, **32**

Puh!

Haste dich verlaufen?

Torsten!

Wieso bist du nich bei deiner Klasse?

Gisela!

Ich ähm... such die grad!

Hier is noch einer von deinen!

Sind alle vollzähl...

Maslowski!

Das hättich mir ja denken können!

Wo kommst du jetzt her?

Warst du das?

Was?

Ich war mit der Heulsus... dem Watzke...

Mirco! Warst du mit dabei?

Hat er dich angestiftet?

Wir haben doch gar nichts...

...äh... uns doch nur verlaufen

Wo hast du ihn getroffen?

Den Torsten, äh...

...na bei unsern Baracken

Aber da war die Sirene schon wieder aus, oder?

Gisela... die Jungs stehn doch unter Schock! Die laufen doch hier nich nachts im Pyjama...

Äh, die war...

Mirco!

Das is wichtig! War da die Sirene schon **aus** oder **noch an**?

Die war da schon...

an?

148

149

Ey Maslowski! Wenn du rumerzählst, dass ich dabei war, dann

Pssst!

Schisser!

Mir doch egal!

Mein Vater bringt mich um, wenn das rauskommt

Du hast ja auch keinen

Halt die Klappe!

Aua Mann

Echt? Is dein Papa tot?

Nein, Mann!

Was is denn dann mit deim Papa passiert? Der's abgehaun!

Echt? Sowie Peggy?

Welche Peggy denn?

Aus unserer Klasse. Ihre Eltern sind mit ihr...

Weiss ich doch nich!

Und kriegst du dann auch so Westpakete?

Da scheiss ich drauf!

Wieso willstn das alles wissen?

Ich glaub, meine Eltern wolln auch abhaun

Bist du bescheuert?

Orrr

Du bist noch im Bett? Es is halb!

Sind deine El... deine Mutter schon los?

Mmmmh!

Und deine Schwester?

Schwescher?

Kannstja gerne zu ihr gehn, wennde mich unbedingt verpfeifen willst!

Ignorier die einfach!

Verpfeifen? Iiiiiich?

Das kann doch deine kleine Petze machen!

Bolzen, du nervst!

Komm doch einfach rüber, wenn du was willst!

Mirco!

Sag doch auch mal was!

G...Genau!

Also bleibt besser, wo ihr seid!

Was?

AHAHAHA

Was hab ich da gehört?

Hat olle Ihmchen plötzlich 'ne grosse Klappe?

162

AHAHAHAHAHAHA

Ey Prinz! Haste det gehört?

Die zwei scheisser ham uns grad rausgefordert!

Bolzen, du siehst doch, dass ich beschäftigt bin!

Ihr könnt sowieso nich mehr reinkommen, weil wir grad mitten im Spiel sind!

163

164

knacks

POFF

FUMB

STOPP!

Was denn?

Zuerst einwerfen!

Orrr, jaaa

Macht schon!

Um die ersten fünf Angaben!

So sind die Regeln!

PING

PAMM

Da haste deine Angabe!

KKW!

MANN! Was is denn nun schon wieder?

KKW! Kein Kellenwechsel!

BONK

Der Ball muss erst zwei mal die Kellen berührt haben, bevor es güldet

Wir kennen die Regeln!

Fangt endlich an!

TING

PONG

1...

2...

PING

...uuund

169

174

175

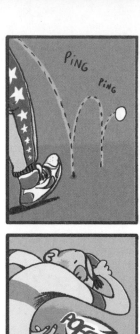

179

180

181

PING

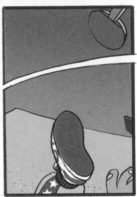

PTCH

PTCH

PTCH

Igitt!

18!

Gleichstand!

klap klap klap

Hohoho

Los jetzt!

Nächste Pause Entscheidung!

Alle Achtung!

Garnich mal sooo schlecht!

Kann ich dann jetzt meine Kelle...

Nich so schnell!

Bis 21 war ausgemacht

185

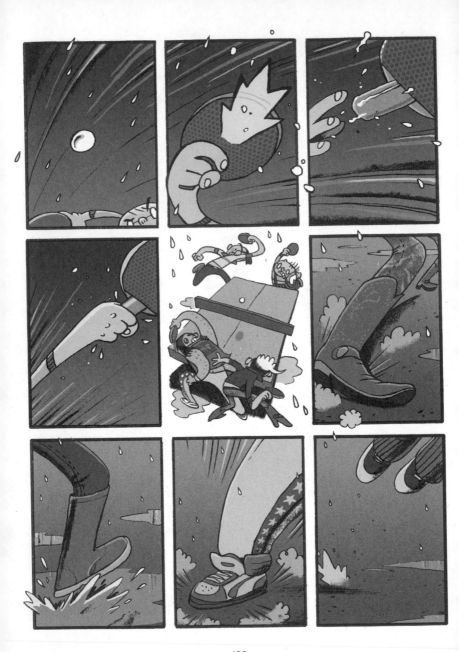

194

Und alles nur wegen Bolzen und Prinz, diesen...

Echt mal...

Und wegen René! Der hat die ganze Zeit gequatscht!

Boah, du hast ja voll die guten Noten!

Der wollte gleich bei unserm Turnier mitmachen!

Hmm... Ronny Knäusel und Enrico auch...

Machen wir das echt mit dem Turnier?

Klar!

Geil!

Kann ich mal deine Federmappe haben?

Ich mein ja nur... wegen Frau Kranz

Scheiss auf die Kranz!

Wir machen das selber!

Aber wenn die ganze Schule mitmachen soll, muss doch der Pionierrat... Was machst du da eigentlich?

Ich unterschreib deine Vier!

202

WAS? Bist du bescheuert?

Wieso? Sieht doch genauso aus wie von deinen Eltern!

Spinnst du? Das sieht **ü-ber-haupt** nich aus wie

Mach ich bei Rita auch immer...

Na?

Hats geschmeckt?

Geil!

Das is schön!

Mirco?

Du müsstest dann auch mal langsam los zum... Klavierunterricht

Klavierunterricht?

Aber der is doch erst Donnerstag

Na der andere

zwinker

Achsooo, ja!

203

Jetzt musstes halt nich mehr dein Eltern zeigen...

Aber wenn das rauskommt...

Mann, ich dachte, ich tue dir n Gefalln!

Ja, toll!

Soo... Ich muss dann hier lang

Ach ja?

Aber is die Musik-Schule nich da lang?

"Äääh... Ich geh zu'ner anderen

Nun gibs schon zu: Du gehst gar nich zum Klavierunterricht!

Du hast nämlich dein Buch gar nich dabei!

Besuchste deine heimliche Freundin?

Nein, Mann!

Was'n sonst?

Ich muss zum Religionsunterricht

Reliwas?

Na die Kirche

Aha!

Müsst ihr da auch so beten?

Lieber Gott, mach mich fromm, dass ich in den Himmel komm

Neiiiin, anders

Na wie denn?

Naja... so Danke für das und das... und Bitte für... wenn jemand krank is oder so

Okeee

Und? Funktioniert das?

Weiss nich...

Meinst du, ich kann da irgendwann mal mitkommen?

Echt?

Ich weiss nich... Vielleicht muss man da getauft sein

Getauft?

Na mit so Wasser übern Kopp...

Aha...

Hauptsache, ich muss kein Pionier-tuch tragen!

206

Neeee, Jungs! Bohren kann man da nüscht...

Und mit Holzleim... aber dazu is der Bruch zu glatt...

Scheiss Osten!

Und was nun?

Ey, ksss

Ihr braucht 'ne Kelle?

Haste eine über?

Du spielst doch gar nich!

Ick nich, aber meene Keule

'Ne Orijinal chinesische!

Und was willste dafür?

208

211

Zu wem wollen Sie denn?

Ähm... Guten Tag! Wir sind von den Pionieren und sammeln Altstoffe

Was?

Alt-stoffe!

Für Nikaragua!

Haben Sie welche?

Oh! Nein... Das tut mir leid! Ich war selber grad letzte Woche...

Aber vielleicht hab ich noch ein paar Kronkorken...

Das wär

Orr nee... Lassense mal!

Ich kann noch mal nachgucken...

Da gibts nich so viel für, aber wenn ihr kurz wartet...

Brauchense nich! Kronkorken sind erst nächste Woche dran

Achso?

213

215

Wir...ähm... Wir ham das im Klassen-Kollektiv besprochen und wollten nicht bis zur nächsten Stunde warten

Genau

Und wir würden auch gerne weiter ein Tischtennisturnier für die ganze Schule... sozusagen als Wiedergutmachung organisiern

Ich weiss nich, ob sich an unserer Schule ein Lehrer finden wird, der dafür die Verantwortungen übernehmen will, nachdem ihr...

Vielleicht ja Herr Plagwitz?

Herr Plagwitz hat so was nich zu entscheiden!

Torsten, ein so grober Verstoss kann nicht einfach so mit einer Entschuldigung wiedergutgemacht werden...

Unsere Pionierorganisation würde sich über dein aufrichtiges Interesse freuen und dich gern wieder in ihrer Mitte aufnehmen...

...wenn du zum Beispiel beim Appell öffentlich Stellung beziehen würdest

Aber bei der Einstellung deiner Mutter, sehe ich noch dringenden Klärungsbedarf!

Danke

Naja... 'n Groschen hamwa schon mal

PLING PLING PLONG

Snif

Niemand darf so über Rita reden!

Ok

221

Das hat sie gesagt?

Soso...

Ich hab also so was nich zu entscheiden

Wer denkt sie denn, wer sie is... diese...

KOF KOF

...diese alte Schachtel!

und, ihr·

Was denkt ihr?

Ihr denkt, ich kann euch jetzt euer Turnier ausm Ärmel schütteln?

Na nee, wir organisiern das schon selber, aber's wär super, wenn Sie Aufsicht machen könnten...

Pah, das kann auch jeder andere Lehrer machen!

Aber Sie sind wenigstens... gerecht

Was bin ich?

Na fair!

Ja, Sie wärn'n prima Schiri!

Schiri beim Pingpong-Turnier...

KOF KOF

Na ich weiss ja nich...

Ich denk mal drüber nach, Jungs

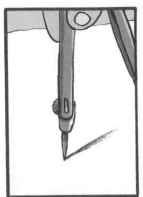

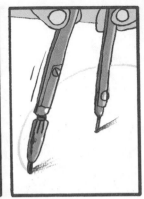

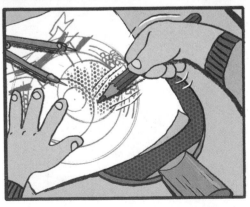

Schon fertig, Mirco?

224

225

Und in deinem Geiste

Was für Geister?

Und in deinem Geiste!

Mein Geist?

Das sagt man so!

Pssst!

Amen.

Amen

229

Los, alle wieder rein!

Orrrrr

Ph!

Toll gemacht, Werkel

Das will ich sehn!

Ähem

Als Erstes beantrage ich, dass Torsten den Raum verlässt, weil er nicht in unserer Klasse...

Verlass doch selber den Raum, blöde Kuh!

Torsten!

Ausserdem ist er kein Pionier!

Na und?

Mirco, schick mal bitte deinen kumpel raus!

Das sag ich Herrn Maiwald!

Petze!

Muss ich das alles mitschreiben?

Jetzt seid doch mal ruhig!

Torsten ist hier, weil er und Mirco noch mal mit euch über das Tischtennis-turnier reden wollen!

?

Auja!

Was?

Frau kranz hat gesagt, es gibt kein Tischtennis zum Pioniergeburtstag!

Genau!

Orrrr

Die's doch jetzt krank

Wenn wir nun aber mal eins wollen?

Wir können das doch selber im Gruppenrat bestimmen!

Genau!

Wir könn ja abstimmen!

Auja!

Abstimmen Abstimmen!

Pssssst!

Wer is dafür?

Hey!

Wir... Wir könn ja ein Turnier... also darüber abstimmen... Aber nich am Pioniergeburtstag!

231

Es kann ja auch ein anderes Datum sein!

Oder beim Sportfest!

Torsten ist doch eh kein Pionier!

Es sollen aber alle von der Schule dabei sein!

Fraukrast...

Pioniere stinken!

Dann nennen wir's halt einfach Freundschaftsturnier!

Freundschaftsturnier...

Das klingt gut...

Ja! Das wär doch spitze!

Naja... ja... Aber vielleicht sollte Torsten trotzdem besser nicht mitmachen...

Hä?!

Vielleicht lassen wir ja DICH besser nich mitmachen

Ich mein doch nur... offiziell... Also nich als Organisator!

Ey Werkel, du bist hier nich der Bestimmer!

Ach ja? Und wer hat mich dann zum Gruppenratsvorsitzenden gewählt?

Und was is, wenn Frau Kranz vorher wiederkommt?

Ausserdem will ich garnix bestimmen, sondern euch nur mit euerm blöden Turnier helfen!

Oder will jemand von euch das beim Freundschaftsrat vor der ganzen Schule vertreten?

Dann können wir ja jetzt abstimmen...

233

234

Einstimmig angenommen!

Hurra!

Cool!

Siehste, es klappt!

Aber ich würde das trotzdem lieber mit...

Torsten?

237

Mann, Torsten! Die halbe Schule is schon angemeldet!

Mechthild hat extra Plakate gemalt!

Und stell dir vor: Herr Plagwitz macht den Schiri!

BLAM

Schön für euch!

Okeeee

Ich mach bei euerm blöden Turnier mit!

- unter einer Bedingung!

BONK BONK BONK

Echt?

Und die wäre?

239

Ä–ä!

WAAAH! Nein, Mimi! Das is meins!

Vier? Ach **die**... Und dann auch noch in Betragen?

Vier!

Da kann ich nix für! Das war wegen dieser Prügelei!

Prügelei?

Ja, weil die Grossen – die haben voll geschummelt und wir, wir waren eigentlich grad am Gewinnen und...

Hast du dir wehgetan?

Nein! Also nur ein bisschen, aber dann hat TORSTEN...

Torsten?

Der, der heulich hier war?

Ja! Und **der** hat dich verprügelt?

NEiiiiN! Der hat mich doch beschützt!

Aber warum hast **du** dann die Vier?

Vier!

Weil... Weil die doofe Kranz keine Ahnung hat!

Ach **die**...

Is das Papas Unterschrift?

246

Ähm.... Jaja!

RRRINNNG

Wer kommt denn jetzt?

Nanu? Du schon?

Überraschung!

Papa!

Ein Telefon! Wo hast du das denn?

Rainer hat mir erzählt, bei ihm verlegense grad Leitungen, und da hab ich mal mit dem Kollegen gesprochen...

Au sehn! Au sehn!

Boah! Könn wir jetz telefoniern?

Im Monat will er mal 'ne Wochenend-Schicht machen...

Telefon!

Tzz! Erst vertröstense einn ewig und dann...

Oooch! In eim Monat erst?

Die müssen doch erst die Kabel verlegen!

Vooorsicht!

Na? Willst du etwa mit dem Mirco telefoniern?

Hallo? Haha

Welche Nummer hat denn der Mirco?

Vier!

247

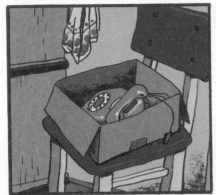

Snif

FLiP

FLiP

Ehrlich!

Das war das einzige Mal!

248

Ehrlich?

Du hast grad rotzfrech deine Mutter belogen!

Woher soll ich da jetzt noch wissen, ob du uns die Wahrheit sagst?

Nur weil der Bengel zu feige is, uns eine Vier zu zeigen... fälscht er jetzt Unterschriften

Mann, für so was kommt man in'n Knast!

Schluchz

Ja, das is echt zum Heulen!

Aber was mich noch viel trauriger macht, ist, dass du uns nicht vertraust!

Meinst du, wir hätten nicht drüber reden können?

Dachtest du, wir reissen dir wegen einer Vier den Kopf ab?

Aber ich SNIFF... ich... hab doch gar nich SNIFF...

Achja? Und wie kommt dann bitteschön meine Unterschrift hier her?

Hat dich jemand dazu angestiftet?

Hrmpf... Deine Mutter und ich werden uns noch überlegen, was für Konsequenzen wir daraus ziehen.

Du kommst morgen erst mal sofort nach der Schule nach Hause und dann

Aber morgen is doch unser Turnier

Was denn fürn Turnier?

Na unser Turnier Snif

Was wir zusammen mit Torsten und ...

Du erwartest doch jetzt wohl nicht, dass wir dich zur Belohnung auch noch zu diesem

Aber...

Aber...

die ganze Schule wird da sein!

Snif

Win ham extra...

MIRCO! DU KOMMST NACH DER SCHULE SOFORT NACH HAUSE!

HABEN WIR UNS VERSTANDEN?

Ja Papa

251

252

254

Du hast uns angelogen und musst jetzt auch die Konsequenzen tragen!

Aber kann ich nich wenigstens nur heute...

Und jetzt hör auf zu diskutieren!

Rias Berlin Sondermeldung

Müll haste auch wieder nich runtergebracht

Nachdem gestern Abend Regierungssprecher Schabowski den DDR-Bürgern... ?

Erleichterung ... wie Reisefreiheit

Mama, ich versprech auch, in Zukunft immer...

Sei doch mal still!

...kam es in der vergangenen Nacht zu spontanen Grenzüberschreitungen...

BLAM!

255

FLATSCH!

Was is'n das?

Das 'die Liste für dein scheiss Turnier heute!

Viel Spass!

Hä? Wieso denn meins?

Was is denn los?

Ey, warte doch mal!

Das war doch **deine** Idee mit dem Turnier und jetzt hab **ich** die ganze Arbeit und... und auch noch Hausarrest!

Was denn "fürn Haus-arrest?

Wegen **deiner** Unterschrift!

Aber das is doch voll lange her! Haste mich etwa verpetzt?

Nein, Mann!

Bin keine Petze!

Tut mir leid wegen letztens

Was?

Na wegen... du weisst schon... Ich würd doch lieber wieder... also Doppel mit dir...

Wenn das ok is für dich und die... Angela

Vergiss die Werkel! Das is immer noch unser Turnier!

Aber was is mit dem Hausarrest?

Drauf geschissen! Ich bleib einfach hier! Mehr als mir noch mehr Hausarrest geben, könnse auch nich!

Echt?

Spitzenmässig!

RRRRiiiiNNNG

Mist, ich hab noch eine bei Bechmann

Ich geh schon mal zur Turnhalle und helf Herrn Plagwitz

Ok, Ich bring alle mit!

7. POS Tamara Bunke

Mirco

259

Ja... schon

Aber...

Ich **kann** nich in'n Westen! Wir müssen unser Turnier machen!

Mirco!

Wir hatten doch darüber gesprochen...

Wir ham schon alles geplant und jetzt macht auch <u>Torsten</u> wieder...

Aber das könnt ihr doch noch später...

Nein! Ich **will** jetzt aber **nich!** Die ganze Zeit sagt ihr, was ich tun soll...

MÖB MÖB

Du **kommst** jetzt mit! Da macht man sich die Mühe und

NEijiN! Ich will nich! Ich will nich!

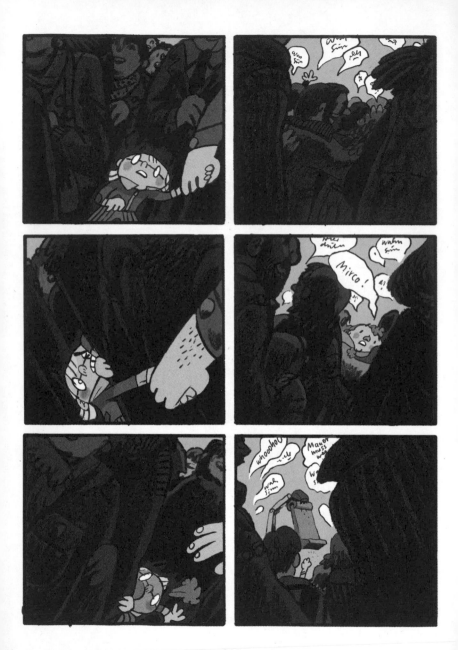

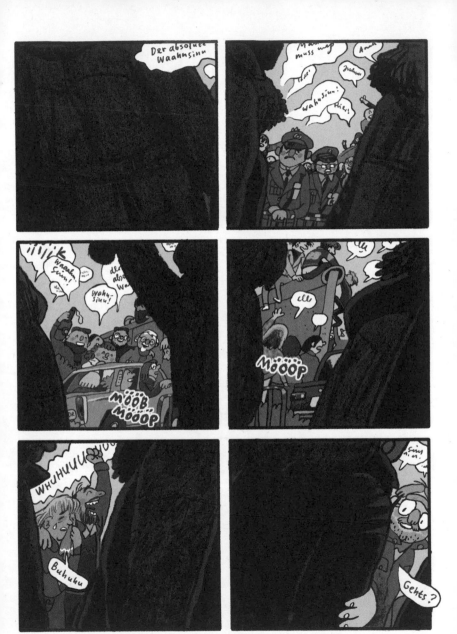

265

Wir ham gleich gesehn, dass Sie ausm Osten sind...

Ist das nich der Wahnsinn heute?

Wo sind Sie denn rüber?

Gleich hier... Oderberger

Ahja... da hamse auch aufgemacht?

♪

Wir sind ja aus Zehlendorf, aber heute mussten wir einfach herkommen! Wer hätte gedacht, dass das tatsä...

Die ganze Stadt ist auf den Beinen!

Der absolute Wahnsinn!

ÜZDEMIR

OBST & GEMÜSE

KEB

Wir lassen Sie mal da vorne an der Kreuzung raus - da gibts gleich zwei Banken und eine Sparkasse!

Blinka Blinka

Danke! Vielen Dank!

Nix zu danken!

Alles Gute!

273

BTONG

DRRRINNNN

279

Jaaa, toll!

Nein, is für dich!

Hab ich dir mitgebracht!

283

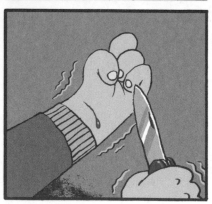

Ph

Mach dir mal nich ins Hemd wegen dem einen Tropfen

Gib her!

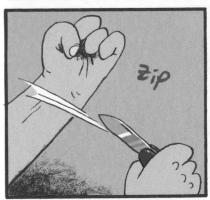

Zip

Upsi

PLITCH

PLITCH

PLITCH

Torsten! Stell dir vor! Die Mau...

Ach du scheisse!

289

Kleines DDR–
GLOSSAR
von Jochen Schmidt & maWil

DDR – Deutsche Demokratische Republik. Nach dem Sieg der Alliierten über Nazideutschland in der östlichen Landeshälfte 1949 unter der sowjetischen Militäradministration gegründet, regiert von einer sozialistischen Einheitspartei und – ähnlich wie die Nachbarstaaten des Ostblocks – mehr oder weniger unter Kontrolle von Moskau stehend. Die soziale Situation und medizinische Versorgung waren gut, doch die steigende Unzufriedenheit über fehlende Meinungs- und Reisefreiheit sowie der Niedergang der staatlich gelenkten Wirtschaft und die mangelnden Konsummöglichkeiten führten schließlich 1989 zur Öffnung der Mauer und zur Wiedervereinigung mit Westdeutschland.

17. 1 & 6. Tamara Bunke, sozialistische Revolutionärin und Agentin aus der DDR, starb 1967 an der Seite von Ché Guevara im bolivianischen Dschungel beim Versuch, die kubanische Revolution nach Südamerika zu exportieren.

28. & 105 Republikflucht. Eine offizielle Auswanderung aus der DDR war schwierig und nur unter Schikanen möglich. Fluchtversuche mit Fluchthelfern, über die Mauer oder die Ostsee endeten oft im Gefängnis oder tödlich.

43.2 Partisan. Untergrundkämpfer, z. B. während des Zweiten Weltkriegs in den von der Wehrmacht besetzten Gebieten.

44.3 ABV – Abschnittsbevollmächtigter. »Kiezpolizist« und lokaler Ansprechpartner der Polizei.

46.1 & 123.3 & 142 Sirene. Jeden Mittwoch um 13 Uhr wurden in der gesamten DDR die Zivilschutz-Sirenen getestet. Man fragte sich immer, was passiert wäre, wenn irgendwo genau um 13 Uhr ein Brand ausgebrochen wäre...

47 Mauer, offiziell »antifaschistischer Schutzwall«, ab 1961 zur Verhinderung der illegalen Ausreise bzw. Flucht um Westberlin und die DDR errichtet, später ausgebaut mit Stacheldraht, Wachtürmen, Wachhunden, Minen, Selbstschussanlagen.

55.6 Milchdienst.
Die Versorgung der
Schüler mit Milch zum
Frühstück und warmem
Mittagessen (siehe auch
Essensgeld 67.3) war
staatlich stark subventioniert. Abwechselnd war ein Schüler/eine Schülerin der
Klasse verantwortlich, von der Ausgabe
im Schulgebäude einen Eimer mit Milchtüten für die Klasse zu holen. Besonders
beliebt war die Geschmacksrichtung
»Schoko«, weniger beliebt war »Vollmilch«, die oft nicht getrunken, sondern
als Munition verwendet wurde. Andere
Regionen beneideten die Berliner um
ihre dreieckigen Milchtüten; sie hatten
meist nur Milch in Flaschen.

58.1 Erich Honecker (von vielen »Honni« genannt), von 1971 bis 1989 Parteichef der SED, ab 1976 auch Vorsitzender
des Staatsrats und damit mächtigster
Mann der DDR. In jeder Schule und fast
jedem öffentlichen Gebäude hing sein
Porträt, auf dem er geheimnisvoll lächelnd vor einem himmelblauen Hintergrund zu sehen war. Seine Frau Margot,
die in der Regierung über das Bildungswesen bestimmte, war für ihre violett getönten Haare berühmt. Honeckers viel zu
späte Absetzung im Oktober 1989 konnte
das Ende der DDR auch nicht mehr verhindern.

74 Fast alle SchülerInnen waren Mitglied
der **Pionierorganisation »Ernst Thälmann«**, zuerst bei den Jungpionieren
mit blauem, ab der 4. Klasse bei den
Thälmannpionieren mit rotem Halstuch.
Mit 14 Jahren konnte man einen Antrag
auf Aufnahme in die Freie Deutsche
Jugend stellen, FDJler trugen »Blauhemden«. Die Mitgliedschaft in diesen
Organisationen war theoretisch freiwillig, aber wer nicht dabei war, war
automatisch Außenseiter und hatte z. B.
mit Nachteilen bei der Zuteilung von Studienplätzen oder bei der Berufswahl zu rechnen.

78 FKK – Freikörperkultur.
Aus den 1920er-Jahren stammende Bewegung, die in der
DDR viel populärer war als
in Westdeutschland. Wird
heute noch besonders von
ostdeutschen Rentnern an den
Stränden der Ostsee gepflegt.

73.3 Kirche in der DDR war nicht verboten, aber Repressalien unterworfen, was besonders für die evangelische Kirche galt, die sich politisch stark engagierte.

83.7 Michail Gorbatschow,
Reformer und Chef der kommunistischen Partei der Sowjetunion. Ihm wird das Zitat »Wer zu spät kommt, den bestraft das Leben« zugeschrieben, das er aber wörtlich so nie ausgesprochen hat.

103.3 Tian'anmen-Massaker. Brutale Niederschlagung der studentischen Reformbewegung durch das chinesische Militär am 3. und 4. Juni 1989. In der DDR herrschte daraufhin die Angst, dass auch hier gegen Protestbewegungen so vorgegangen werden könnte.

105.3 Gefängnis für politische Gefangene (u. a. »Republikflüchtlinge«) in **Bautzen**.

120 Winnetou und Old Shatterhand. Der Häuptling der Apachen und der aus Deutschland stammende, den meisten Gegnern moralisch und körperlich überlegene Abenteurer waren die populärsten Figuren des deutschen Schriftstellers Karl May (1842-1912),

der zahlreiche autobiografische Romane über Abenteuer im Wilden Westen und in anderen Regionen der Welt schrieb, ohne bis dahin selbst dort gewesen zu sein. In dieser Beziehung war er auf seine Fantasie angewiesen, vielleicht war er auch deshalb so beliebt in der DDR, obwohl seine Werke dort erst spät erscheinen durften. Es gab eine regelrechte Wildwest-Subkultur mit Reenactments, wobei man sich eher mit den Indianern identifizierte.

123.5 NVA – Nationale Volksarmee. Armee der DDR. Der Grundwehrdienst dauerte für jeden jungen Mann 18 Monate. Einen zivilen Ersatzdienst gab es nicht.

151.5 Westpakete. Postsendungen von Westdeutschen an Familienangehörige und Freunde in der DDR. Besonders beliebt waren Kaffee, Kleidung (auch gebrauchte), Kaugummis oder Tintenkiller. Das Versenden von Pornografie und Comicheften war verboten. Dem Gerücht nach sortierten die Mitarbeiter des Zolls solche Dinge aus und behielten sie für ihre eigenen Familien bzw. verkauften sie weiter.

152.1 & 210.6 Stasi, Ministerium für Staatssicherheit, umgangssprachlich auch »Die Firma«. Geheimdienst der DDR, die Inlandsabteilungen funktionier-

regelmäßig, um als Klasse den Altstoffsammelwettbewerb der Schule zu gewinnen. Das Geld wurde auf Solidaritätskonten eingezahlt, meist zur Unterstützung

ten als Überwachungs- und Repressionsapparat gegen die eigene Bevölkerung, der ständig ausgebaut wurde, weil im Prinzip jeder verdächtig war.

von Ländern in der Dritten Welt. Gesammelt wurde weniger aus ökologischen als aus ökonomischen Gründen, wegen der permanenten Rohstoffknappheit der DDR.

216.4 Flüchtlinge im Fernsehen. In den letzten Monaten der DDR flüchteten Tausende Bürger über die amerikanische Botschaft in Berlin und die westdeutsche Botschaft in Prag.

211.2 Fahnenappell. Quasi-millitärisch organisierte, zeremonielle Schulveranstaltung zu besonderen Anlässen, siehe Seite 74. Bei dieser Gelegenheit wurde belobigt und getadelt. Alle mussten im Pionierhemd oder im Blauhemd erscheinen.

213.2 & 218.5 Altstoffe. Sammeln von Glas, Papier und Metall (»Sekundärrohstoffe«) fürs Recycling. In den Annahmestellen wurden diese Altstoffe bezahlt. Schüler sammelten aber auch

216.5 Neues Deutschland, offizielles Parteiblatt der Sozialistischen Einheitspartei der DDR. Das Format war besonders groß, und es stand bis auf offizielle Reden und Erfolgsmeldungen aus der Wirtschaft besonders wenig drin. Eignete sich wegen seiner Größe gut als Malunterlage. **Der Spiegel**, Nachrichtenmagazin aus Westdeutschland.

218.3 Rote Socke. Umgangssprachlich abwertend für Sozialisten bzw. Mitläufer des Systems.

225.2 Staatswappen der DDR. Der Hammer symbolisiert die Arbeiterklasse,

der Ährenkranz die Klasse der Bauern und der Zirkel die sogenannte Schicht der Intelligenz.

228.4 Pioniernachmittag. Kulturelle oder politische Nachmittagsveranstaltung der Jungen Pioniere.

228.5 Sputnik. Sowjetisches Reader's Digest für das Ausland, u. a. für den ost- und westdeutschen Markt. Lange Jahre war dieses Blatt nur für wenige von Interesse, aber mit dem Beginn der Peres-

troika erschienen hier kritische Artikel, die in der DDR-Presse noch nicht möglich gewesen wären. Nach dem Erscheinen eines Artikels über die Verbrechen des Stalinismus wurde der *Sputnik* in der DDR verboten. Dabei hieß es offiziell immer noch: »Von der Sowjetunion lernen heißt Siegen lernen.«

229.4 Gruppenratsvorsitzende. Von den Pionieren einer Klasse gewählte/r Vorsitzende/r des Gruppenrats, ähnlich einem Klassensprecher. Weitere Posten waren z. B. Schriftführer, Kassierer, Agitator, Kulturfunktionär.

242.6 Demonstrationen mussten in der DDR genehmigt werden, es wäre aber niemand auf die Idee gekommen, eine Demonstration überhaupt zu beantragen. Es gab eine Reihe staatlich organisierter Demonstrationen (z. B. zum 1. Mai oder zum Republikgeburtstag), bei denen die Teilnahme obligatorisch war. Zum Ende der DDR kam es zu spontanen Demonstrationen, die zuerst niedergeschlagen wurden, bis letztendlich die Zahl der Demonstrierenden überhandnahm.

255.3 Unter Reformdruck erlaubte die DDR am 9. November 1989 endlich die **Reisefreiheit**, was im Fernsehen widersprüchlich kommuniziert wurde, sodass es zu einem spontanen Ansturm auf die Grenzübergänge kam, weil niemand sich die Gelegenheit entgehen lassen wollte, Westberlin zu sehen, bevor die Mauer wieder geschlossen würde. Was 40 Jahre lang nicht ausprobiert worden war, funktionierte erstaunlich gut: Alle gingen gleichzeitig rüber und erzwangen damit den Mauerfall.

267.4 Begrüßungsgeld. Finanzielle Unterstützung der BRD von 100 DM für jeden einreisenden DDR-Bürger. Man war natürlich nicht auf den Ansturm nach dem Mauerfall vorbereitet und rechnete nicht mit den Tricks mancher DDR-Bürger, die sich z. B. die Seite mit dem Stempel, der besagte, dass sie das Geld bereits erhalten hatten, aus dem Ausweis rissen.

262.1 & 268.5 Trabant. Kleinwagen aus DDR-Produktion mit stark qualmendem 2-Taktmotor und korrosionsfreier Kunststoffverkleidung. Es gab wenig Alternativen zum Trabant, deshalb sah man ihn überall, obwohl man vor dem Kauf mit einer ca. 10-15jährigen Wartezeit rechnen musste.

255.3 Salvador Allende. Sozialistischer Präsident Chiles, starb 1973 während eines durch die USA unterstützten Putsches. Viele chilenische Kommunisten mussten ihr Land verlassen und wurden von der DDR aufgenommen.

Mawil wurde 1976 in Ostberlin geboren. Seit seiner tragikomischen Episodengeschichte *Wir können ja Freunde bleiben* (2003) zählt er zu den international renommiertesten deutschen Comicautoren. Für *Kinderland* wurde er 2014 mit dem Max und Moritz-Preis ausgezeichnet. Mawil lebt und arbeitet noch immer in Berlin und hat als erster deutscher Autor ein Abenteuer der Comic-Ikone Lucky Luke erzählt und gezeichnet.

Mawil bei Reprodukt
Strand Safari
Wir können ja Freunde bleiben
Die Band
Das große Supa-Hasi-Album
Meister Lampe
Action Sorgenkind
Kinderland
The Singles Collection
Power-Prinzessinnen-Patrouille
Mauer, Leiter, Bauarbeiter
Papa macht alles falsch
Die Feuerwehr macht Urlaub

Mawil in der Egmont Comic-Collection
Lucky Luke sattelt um

Gottschedstr. 4 / Aufgang 1
13357 Berlin

www.mawil.net
www.reprodukt.com